Trivelige Trøndelag

Friendly Trøndelag

Freundliches Trøndelag

Promenade dans le Trøndelag

Tekst og foto:
Steinar Johansen

Grafisk design:
Media Trøndelag

EMBLA FORLAG

Steinkjer

Til min gode venn Ola Hjulstad.
Takk for din utrettelige innsats for å åpne
våre øyne for Trøndelags skjønnhet.

Copyright©2006
Embla Forlag AS
Kongens gate 28,
7713 Steinkjer
E-post: post@emblaforlag.no
Telefon: 74 16 40 00
Telefax: 74 16 40 60

Tekst og foto: Steinar Johansen, Namsos

Grafisk design: Frode Buvarp, Media Trøndelag AS, Namsos

Oversettelse: Engelsk og fransk: Rolf Mokkelbost. Tysk: Øyvind Haukø

Trykt hos Nørhaven Book AS, Viborg 2006

ISBN-13: 978-82-92577-11-0
ISBN-10: 82-92577-11-4

trivelige**trøndelag**™

Innhold

Forord 6

Vår 8

Sommer 10

Høst 12

Vinter 14

Oppdal 16

Gauldal og Orkdal 18

Trondheim 20

Stjørdal 26

Trondheimsfjorden 30

Frosta 32

Levanger 34

Verdal 36

Inderøy 40

Mosvik og Leksvik 42

Verran 44

Steinkjer 46

Namdalseid 50

Snåsa 51

Namsos 52

Namsen 54

Havlandet 56

Frøya og Hitra 58

Mausund 60

Halten 62

Bjugn og Ørlandet 64

Osen og Roan 66

Namdalskysten 68

"Den blå åkeren" 76

Innlandet 78

Røros 80

Tydal og Selbu 82

Meråker 84

Nasjonalparkene 86

Indre Namdal 88

Sørsamene 90

Fjelleventyret 92

Forord

Mære

Med "Trivelige Trøndelag" ønsker vi å åpne døra på gløtt til denne eventyrlige landsdelen midt i Norge. Her er landet stort, og menneskene få. Ser vi på byene, er det tilsynelatende bare Trondheim som er en by å snakke om i europeisk målestokk. Men skinnet kan bedra. Enhver trønder vet at småbyene og tettstedene bidrar til det urbane Trøndelag, der de ligger som servicesentra i sitt distrikt. Og rundt ligger det trønderske kulturlandskapet. Rolig og velstelt, med brede bygder i en frodig natur. Med røtter langt inn i Norgeshistorien.

Følger du leia, skjer det noe når du kommer til Trøndelag. Mens høye fjell stuper seg ned i åpne fjorder både i sør og nord, går det mer avslappet for seg på Trøndelagskysten. Her tar landskapet tida til hjelp før det gradvis reiser seg, og slår kul på ryggen inne ved svenskegrensa. Her ligger fjellbygdene og nasjonalparkene, og i bunnen av tverrdalene som fører oss dit, renner noen av de beste lakseelvene du kan tenke deg.

Det er til dette landet vi ønsker deg velkommen: Fra havlandet i vest, til grensefjellene i øst. Fra Dovrefjell i sør, til Helgeland og polarsirkelen i nord. Til eventyrlandet sør for polarsirkelen

✳ This book, Friendly Trøndelag, offers you a glimpse of a marvellous region situated in the heart of Norway, a land sparsely populated with room to roam. Trondheim is the only town which might be considered a European city. However, every inhabitant of the region knows that all the smaller towns and villages, unique and vital community centers, combine to create an urban Trøndelag.

And all around, a vistor will find a charming rural and tilled Trøndelag, a fertile beautiful land of ancient historic importance to Norway.

Upon arrival in Trøndelag, you will experience a variety of scenery. Majestic mountains enclose fjords both in the south and in the north of Norway, but the coast of Trøndelag seems to be more relaxed – as if the landscape takes its time before slowly rising towards the Swedish border. It is here you will find mountainous country with villages and national parks as well as some of the finest salmon rivers you can imagine.

This is the country we want to invite you to see: from the ocean in the west to the mountains in the east, from the mountains of Dovre in the south to Helgeland and the Arctic Circle in the north. Welcome to the wonderland south of the Arctic Circle.

⬤ Durch dieses Buch wünschen wir die Tür zu einem zauberhaften Teil Norwegens zu öffnen.

Hier ist das Land groß aber mit wenigen Menschen. Wenn wir die Städte betrachten, verdient scheinbar nur Trondheim die Bezeichnung Stadt in einem Europäischen Maßstab. Aber der Schein trügt. Für jeden Trønder repräsentieren die Kleinstädte und Orte das Urbane, als kleine Zentren in ihren Distrikten.

Und rundum breitet sich die trøndersche Kulturlandschaft. Ruhig und gepflegt mit Wiesen und Wäldern in einer üppigen Natur. Mit den Wurzeln tief in der Geschichte Norwegens begraben.

Wenn man der Fahrrinne der Küste entlang folgt, ändert sich die Landschaft hier in Trøndelag. Südlich und nördlich von Trøndelag stürzen hohe Berge dramatisch in offene Fjorde hinab, aber die Küste von Trøndelag bietet ein ruhigeres, entspanntes Bild. Hier steigt das Land so ganz allmählich in Richtung Osten, und endet in beträchtlicher Höhe an der schwedischen Grenze. Hier liegen die Bergsiedlungen und Nationalparks, und tief in den Quertälern die uns dahin leiten, fließen einige von den besten Lachsflüssen die man sich vorstellen kann.

Es ist zu diesem Land dass wir Sie willkommen heißen: vom Meeresland im Westen bis zu den Grenzgebirgen im Osten. Von Dovrefjell im Süden bis nach Helgeland und dem Polarkreis im Norden. Das Märchenland südlich vom Polarkreis.

❮ Ce livre vous donne un aperçu du département de Trøndelag, situé au centre de la Norvège. La région est vaste, mais peu peuplée. Les villes ne sont pas importantes; Trondheim est l'unique agglomération à dimension européenne. Cependant, les petites villes et villages, centres régionaux de commerce et de service, contribuent à une vie urbaine.

Aux environs, on trouve des zones cultivées; calmes, bien entretenues, dans un paysage riche, émaillé de villages florissants, au passé ayant beaucoup influencé la Norvège.

En suivant la côte, tout change en arrivant en Trøndelag. Dans le Sud et dans le Nord du pays, des montagnes abruptes plongent dans les fjords ouverts. Sur la côte de Trøndelag, tout est plus tranquille. Le paysage semble "prendre son temps" avant d'atteindre la frontière suédoise. On y trouve des villages de montagne et des parcs nationaux, et, au fond des vallées, les meilleures rivières qu'on puisse imaginer pour la pêche au saumon.

Soyez le bienvenu au pays des mers à l'Ouest, aux montagnes frontières à l'Est, à la montagne de Dovre au Sud et au Cercle Polaire au Nord: Le pays des contes et des aventures au Sud du Cercle Polaire.

Vår

🔴 Våren tiner frosne sjeler. Dette er forventningenes årstid. Det handler om spiring, sevje som stiger og knopper som brister. Kort sagt; livsglede.

🌸 Spring melts the frosty winter. It's the season of expectation – sprouting, growing, buds that become flowers: it is the joy of life.

⚫ Frühling
Der Frühling taut die gefrorenen Seelen. Dies ist die Jahreszeit der Erwartungen. Die Pflanzen sprießen, der Baumsaft steigt und die Knospen bersten. Kurz gesagt; Lebensfreude!

🔵 Le printemps, c'est la vie et la saison de l'attente. Tout pousse, la sève monte, et les bourgeons éclatent. En bref: La joie de vivre.

Sommer

 Sommeren er noe for seg selv her nord, med lange dager og lyse netter. Dette er årstiden hvor naturen betaler tilbake med renter det lyset som vinteren stjal.

The arctic summer has long days and bright nights. Light, once subdued by winter, is graciously drawn forth.

Der Sommer ist was Besonderes hier im Norden, mit langen Tagen und hellen Nächten. Dies ist die Jahreszeit, die das vom Winter gestohlene Licht zurückzahlt, und sogar mit Zinsen!

L'été chez nous chante sa propre chanson. Les jours sont longs et les nuit courtes. La nature redonne la lumière volée par l'hiver aux longues nuits.

Sætervika

Høst

 Vi har vært i varmere land. Vi har opplevd steder med mer forutsigbart klima. Vi har vært i områder hvor temperaturen aldri kommer under null. Og vi har lengtet hjem til høstfarger og rimfrost, og til årstidenes skiftninger.

We've been travelling in warmer areas. We've experienced places with predictable climate. We've been where the temperature never is below zero. And we've longed for the colours of autumn and the rime frost at home, and the the seasonal changes.

Wir haben wärmere Länder besucht, mit einem stabileren Klima, und wo die Temperatur nie unter null fällt. Und wir sehnen uns trotzdem immer nach zu Hause, mit Herbstfarben, Reif und dem Wechsel der Jahreszeiten.

Nous avons visité des pays du Sud et nous avons connu un climat prévisible. Nous avons passé du temps là où la température ne dépasse pas zéro et nous avons regretté les couleurs d'automne, la gelée blanche et le changement des saisons.

Inderøy

Vinter

Det er ikke alle som priser vinteren når kvikksølvet i gradestokken kryper ned i kula, og nekter å komme opp selv midt på dagen. Men spør folk hva de husker fra denne årstiden: Da kommer skildringer fra skiturer med puddersnø og gnistrende solskinn, av barnelek med latter og eplekinn i kulda.

Not everone praises winter when the cold bites and makes you believe it will stay forever. But our memories of this time of the year also evoke long and sunny skiing trips in untouched snow and apple-red cheeked children playing.

Nicht alle preisen den Winter wenn das Quecksilber im Thermometer sich in die Kugel zurückzieht und dort den ganzen Tag bleibt. Fragen Sie aber Leute was sie sich von dieser Jahreszeit erinnern: Dann kommen Schilderungen von Skifahrten im Pulverschnee und funkelndem Sonnenschein, vom Kinderspiel und Lachen, mit apfelroten Wangen in der Kälte.

Quand le mercure se cache au fond du thermomètre, on ne chante pas toujours l'hiver. Mais il y a aussi des merveilles à trouver pour ceux qui savent les chercher: Faire du ski dans de la neige poudreuse sous un soleil pâle et voir jouer des enfants aux pommettes rouges.

Namsos

Oppdal

For reisende sørfra langs E6, er Oppdal det første tettstedet i Trøndelag.
De siste årtiene har fjellbygda utviklet seg til et moderne vintersportssted av dimensjoner.
Tre alpinområder med egne heissystemer åpner løypetilbud for store og små alpinister, uansett ferdighetsnivå.

Travellers coming from south first reach Oppdal. In recent years, this mountain village has developed into a major alpine skiing resort for skiers of every skill.

Für Reisende die vom Süden an der E6 entlang kommen, ist Oppdal der erste Ort in Trøndelag.
Während der letzten Jahrzehnte hat sich diese Siedlung zu einer modernen Wintersportstelle von beträchtlicher Größe entwickelt.
Drei Alpinanlagen mit ihren Skiliften bieten eine Vielfalt von Pisten für sowohl kleine als große Alpinisten.

Le premier village du département qu'on rencontre en montant par la route s'appelle Oppdal. Pendant les dernières décennies, Oppdal est devenu une station de ski très moderne avec des remontées donnant accès à des pistes pour des professionnels ainsi que pour les amateurs.

Oppdal

Nerskogen

Gauldal og Orkdal

Orkdalen

Skaun

Gaula

🇳🇴 Mens landet nord for Trondheim er preget av tverrdaler, går dalene lenger sør nordover. Også her rinner lakserike elver i dalbunnen. Gaula og Orkla hører til de beste i landet. Fra gammelt av bosatte folk seg på de fruktbare elveslettene, og området omfatter noen av de rikeste landbruksområdene i Sør-Trøndelag.

✳️ The valleys north of Trondheim run east to west, whereas those in the south run to the north. You will also find excellent salmon rivers here, the Gaula and the Orkla being two the finest in Norway. In ancient times people settled on these fertile river plains and still today these are among the finest agricultural areas in the region.

🇩🇪 Während das Land nördlich von Trondheim von Quertälern geprägt ist, laufen die Täler im Süden in nördlicher Richtung. Auch hier fließen lachsreiche Flüsse, wie die Orkla und die Gaula, die zu den besten im Land gehören.
Von alters her haben Leute die fruchtbaren Flussebenen besiedelt, und das Land hier umfasst einige von den reichsten Landwirtschaftsgebieten in Sør-Trøndelag.

🇫🇷 Les vallées du Nord du département sont orientées Est-Ouest, tandis que le vallées, plus au Sud, le sont au Nord. Là il y a des rivières – la Gaula et l'Orkla – parmi les meilleures du pays pour la pêche au saumon. Les premiers habitants se sont installés dans les plaines creusées par les rivières, parmi les plus fertiles du département.

Trondheim

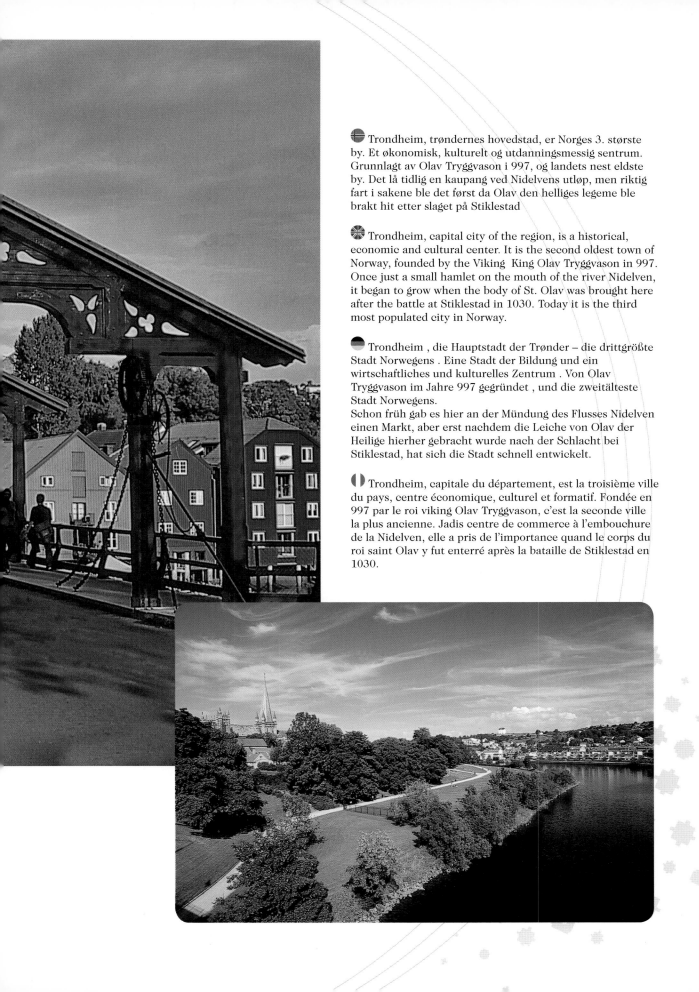

Trondheim, trøndernes hovedstad, er Norges 3. største by. Et økonomisk, kulturelt og utdanningsmessig sentrum. Grunnlagt av Olav Tryggvason i 997, og landets nest eldste by. Det lå tidlig en kaupang ved Nidelvens utløp, men riktig fart i sakene ble det først da Olav den helliges legeme ble brakt hit etter slaget på Stiklestad

Trondheim, capital city of the region, is a historical, economic and cultural center. It is the second oldest town of Norway, founded by the Viking King Olav Tryggvason in 997. Once just a small hamlet on the mouth of the river Nidelven, it began to grow when the body of St. Olav was brought here after the battle at Stiklestad in 1030. Today it is the third most populated city in Norway.

Trondheim , die Hauptstadt der Trønder – die drittgrößte Stadt Norwegens . Eine Stadt der Bildung und ein wirtschaftliches und kulturelles Zentrum . Von Olav Tryggvason im Jahre 997 gegründet , und die zweitälteste Stadt Norwegens.
Schon früh gab es hier an der Mündung des Flusses Nidelven einen Markt, aber erst nachdem die Leiche von Olav der Heilige hierher gebracht wurde nach der Schlacht bei Stiklestad, hat sich die Stadt schnell entwickelt.

Trondheim, capitale du département, est la troisième ville du pays, centre économique, culturel et formatif. Fondée en 997 par le roi viking Olav Tryggvason, c'est la seconde ville la plus ancienne. Jadis centre de commerce à l'embouchure de la Nidelven, elle a pris de l'importance quand le corps du roi saint Olav y fut enterré après la bataille de Stiklestad en 1030.

Nidarosdomen ble bygd over helgenkongens grav, og Trondheim ble reisemål for utallige pilgrimer. Fram til katolisismens slutt i 1536, var erkebiskopen i Nidaros landets ubestridte åndelige leder. Fremdeles står Nidarosdomen, Nordens største middelalderbyggverk, der som et praktfullt symbol over fordums storhetstid

Trondheim became a destination for many a pilgrim when the Nidaros cathedral was built on the grave of St. Olav. The archbishop was the national spiritual leader until the Reformation in 1536. The Nidaros cathedral is the largest medevial building of the Nordic countries, a magnificent symbol of a great past.

Der Nidarosdom wurde über das Grab des Heiligenkönigs gebaut, und Trondheim wurde das Reiseziel unzähliger Pilger. Bis zum Fall des Katholizismus im Jahre 1536 war der Erzbischof von Nidaros der unbestrittene geistliche Leiter des Landes. Immer noch steht der Nidarosdom da, das größte Mittelaltergebäude Nordens, als ein prachtvolles Symbol der alten Zeiten.

La cathédrale de Nidaros est construite sur la tombe du roi saint. Ainsi ont commencé les pèlerinages. Jusqu'à 1536, l'archevéque de Nidaros était le patron religieux du pays. Le plus grand bâtiment médiéval des pays nordiques, la cathédrale de Nidaros reste un symbole puissant d'une époque glorieuse.

I dag er Trondheim en universitetsby hvor hver sjette innbygger er student (i tillegg til byens 150 000 innbyggere), og hvor nye bedrifter stadig ser dagens lys i randsonen rundt utdanningsinstitusjonene. I tillegg skaper studentene liv og røre, og sikrer at middelalderbyen holder seg ung og rynkefri med et allsidig kultur- og uteliv.

Today the total population of Trondheim numbers 150 000, of which every sixth is a student. Being a university city, Trondheim supports many new enterprises, and it is bustling with outdoor and cultural activities.

Trondheim ist heute eine Universitätsstadt, wo jeder sechste Einwohner Student ist (zusätzlich zu den 150 000 Einwohnern der Stadt), und wo neue Betriebe in der Randzone um die Bildungsinstitutionen immer hervorwachsen. Die Studenten beleben die alte Stadt und tragen dazu bei, dass die Mittelalterstadt sich jung und Faltenfrei hält.

Aujourd'hui Trondheim abrite de grands écoles, une université ainsi que des milliers d'étudiants, qui aiment sortir et qui animent la vie culturelle. La présence des institutions de formation a entraîné l'installation de nouvelles entreprises.

Stjørdal

Rett beliggenhet skaper vekst. Her, midt i Norge og ved Stjørdalselvas utløp, møtes to europaveier (E6 og E14), Nordlandsbanen og Meråkerbanen. Dessuten ligger Trondheim lufthavn Værnes her. Og det er her vi kan ønske deg velkommen til Hell, enten som togpassasjer, eller bluesentusiast

To be situated in a crossroad, creates growth. Here, at the mouth of the river Stjørdal, in the middle of Norway, two European highroads and two main railroad tracks meet. This is where travellers can land at Trondheim airport as well as the train station of Hell, home of the annual Hell Blues Festival.

Eine Gute Lage ist wichtig für Wachstum und Entwicklung. Hier, in der Mitte von Norwegen und an der Mündung vom Fluss Stjørdalselva, treffen sich zwei Europastrassen (die E6 und die E14), die Nordlandbahn und die Meråkerbahn. Außerdem liegt der Lufthafen von Trondheim hier. Und es ist hier wir Sie in Hell willkommen heißen können, entweder als Reisender mit der Bahn oder als Bluesenthusiast.

À Stjørdal deux routes principales et deux chemins de fer ont "rendez-vous", lieu idéal pour un developpement. Là se trouve aussi l'aéroport de Trondheim. De plus: Vous serez les bienvenus à Hell (Enfer) par le train, pour jouer ou écouter du blues au festival annuel.

Hell

Stjørdalselva

Trondheim Lufthavn Værnes

Steinvikholm

🔵 Trondheimsfjorden har alltid knyttet menneskeskjebner sammen. Uten slaget på Stiklestad ville Nidaros aldri fått sin helgen, og dermed ville heller ikke Trondheim blitt Norges åndelige sentrum. På den andre siden gjorde Nidaros siste erkebiskop, Olav Engelbrektsson, Steinvikholm festning i Stjørdal berømt da han forskanset seg her fem hundre år senere i et forsøk på å stoppe reformasjonen som feide over landet.

✳️ The area around the fjord of Trondheim has always connected people. If there had not been a battle at Stiklestad, there would not have been a sainted king; consequently, Trondheim would not have been the spiritual center of Norway. It was the last archbishop, Olav Engelbrektsson, who made the castle of Steinvikholm famous when he sought refuge there 500 years later in an attempt to stop the Reformation.

● Der Trondheimsfjord hat immer die Schicksale der Menschen verknüpft. Ohne die Schlacht bei Stiklestad hätte Nidaros nie seinen Heiligen gehabt, und dann wäre Trondheim auch nicht das geistliche Zentrum gewesen. Andrerseits hat der letzte Erzbischof von Nidaros , Olav Engelbrektsson , die Festung von Steinviksholm berühmt gemacht , als er sich hier fünf hundert Jahre später verschanzt hat , in einem Versuch , die Reformation zu halten, die sich über das Land verbreitete.

❶ Le fjord de Trondheim a toujours eu une grande importance eu égard à sa position stratégique: Pas de bataille de Stiklestad, pas de roi saint; pas de roi saint, pas de centre religieux à Trondheim. 500 ans plus tard, le dernier archevêque, Olav Engelbrektsson, a rendu célèbre la forteresse de Steinviksholm en s'y barricadant pour tenter d'arrêter la Réforme.

Mot forbordsfjellet

Trondheimsfjorden

🇳🇴 Det veldrevne kulturlandskapet rundt Trondheimsfjorden, er fra gammelt av et av kjerneområdene i norsk landbruk. Rolig bølger det nord- og østover så langt øyet rekker, med sjarmerende småbyer og tettsteder som små øyer i et fruktbart hav.

✳️ The cultivated land around the fjord of Trondheim has always been an important part of Norwegian agricultural history. The landscape gives an impression of tranquillity, with small villages scattered like islands in a fertile ocean.

🇩🇪 Das Land um den Trondheimsfjord. Die gepflegte Kulturlandschaft, die den großen Fjord umgibt, ist von alters her eines der Kerngebiete norwegischer Landwirtschaft. Ruhig wogt sie in nördlicher und östlicher Richtung, so weit das Auge reicht, mit reizenden Städtchen und Siedlungen als kleine Inseln in einem fruchtbaren Meer.

🇫🇷 Le paysage autour du fjord, bien entretenu, reste toujours très prépondérant par rapport à l'agriculture norvégienne. C'est un paysage tranquille et peu accidenté, les petites villes et villages y sont "semés" comme des îles dans une mer féconde.

Frosta

Flat og fruktbar ligger Frosta-halvøya midt i Trondheimsfjorden.
Her samlet stormenn seg til Frostating for å styre landsdelen, og her slo middelalderens munker seg ned med sine krydderplanter.

The peninsula of Frosta, fertile and flat, lies midway in the fjord of Trondheim. Once the nobles gathered here to rule, and later monks settled to grow their aromatic plants.

Flach und fruchtbar liegt die Halbinsel Frosta mitten im Trondheimsfjord.
Hier versammelten sich einst die mächtigen Leute zum Ding, um diesen Teil des Landes zu verwalten, und hier ließen sich die Mönche des Mittelalters mit ihren Kräuterpflanzen nieder.

La presque-île Frosta, avec ses basses terres fertiles est située à mi-distance dans le fjord de Trondheim. Ici, à l'époque des Vikings, la noblesse a administré le département et, plus tard, les moines se sont installés avec leurs plantes aromatiques.

Frosta

Tautra

Klosterruin, Tautra

Levanger

🔴 På veien nordover passerer vi Levanger.
Byen, som i dag har ca. 6000 innbyggere,
unngikk krigshandlingene i 1940, og har
dermed mye av den sjarmerende, gamle
trehusbebyggelsen i behold.

✳️ Going north, you reach Levanger, a town
of 6000 inhabitants, which was untouched by
World War II, thus retaining the old and
charming wooden houses of bygone days.

⬛ Auf dem Weg nach Norden fahren wir an
Levanger vorbei.
Die Stadt, die heute etwa 6000 Einwohner hat,
wurde nicht von den Kriegshandlungen 1940
betroffen, und hat deshalb viele von den
reizenden alten Holzhäusern behalten.

🔵 Sur la route, vers le Nord, nous nous arrêtons
à Levanger, ville de 6000 habitants, épargnée
par les bombardements de la dernière guerre; les
petites maisons en bois sont toujours intactes.

Verdal

Da helgenkongen Olav Haraldsson falt i slaget mot bondehæren på Stiklestad i 1030, skapte han fortgang i kristningen av landet. Og ved å bli kanonisert, la han også grunnlaget for Trondheims storhetstid litt lengre sør ved fjorden.

As a result of the death of the Viking King Olav at Stiklestad in 1030, Christianity progressed. When he later was canonized, the foundation for the growth of Trondheim was laid

Als der Heiligenkönig im Jahre 1030 in der Schlacht gegen das Bauernheer bei Stiklestad fiel, hat sich die Einführung des Christentums beschleunigt. Und seine Kanonisierung hat die Grundlagen der Blütezeit von Trondheim etwas südlicher am Fjord geschaffen.

Quand le roi saint Olav Haraldsson est tombé pendant la bataille de Stiklestad en 1030, la christianisation du pays s'est accélérée. Sa canonisation fut très importante pour la grandeur de Trondheim.

Stiklestad

Verdal

Leirådal

⊕ Ved siden av å være en av de store landbruks-kommunene ved Trondheims-fjorden, er Verdal også industrikommunen framfor noen. Aker Kværner Verdal med sine offshoreaktiviteter er det store lokomotivet.

✷ Verdal is one of the great agricultural communities of the region, but industry also prospers. Aker Kværner Verdal is widely acknowledged for its offshore activity.

⊖ Verdal ist eine der größten Landwirtschaftsgemeinden am Trondheimsfjord, aber auch ein sehr wichtiges Industriezentrum. Aker Kværner Verdal mit seinen Offshoreaktivitäten ist die große Lokomotive.

❘❘ Commune agricole de grande importance, Verdal est aussi importante au plan industriel dans le secteur offshore.

Inderøy

Mot Straumen

🇳🇴 "Her ser eg fagre fjord og bygdir…" skrev dikteren Aasmund Olavsson Vinje i 1860. Han var bergtatt av den samme utsikten som du ser på det store bildet til venstre.
"Den Gyldne Omvei" om Straumen anbefales som alternativ til E6.

🔘 In a famous poem written in 1860, the Norwegian poet Aasmund Olavsson Vinje praised what you can see on the photo to the left. You might want to take "the Golden Detour" off the highway, passing by Straumen.

⬛ „Hier schau' ich über lieblichen Fjord und hübsches Land" hat der Dichter Aasmund Olavsson Vinje 1860 geschrieben. Er war von demselben Blick verhext, wie diesen, den Sie auf dem großen Bild links sehen.
„Der goldene Umweg" über Straumen wird als Alternative zur E6 empfohlen.

🔵 En 1860 l'écrivain Aasmund Olavsson Vinje a décrit ce site dans un poème très connu.
"Le Détour d'Or", passant par Straumen, est fortement recommandé.

Straumen

Mosvik og Leksvik

Henning

Landskapet er langt på vei det samme når vi fortsetter nordover, men fjorden endrer karakter. Blir liksom mer kronglete og uforutsigbar. Og for dem som velger å dra vestover, blir landskapet mer kupert straks Skarnsundbrua er passert.

Rv.755 slynger seg langs bergnabbene fram til bygdesentret Mosvik før den tar veien over fjellet til Leksvik - jordbruksbygda som i løpet av en mannsalder har blitt et lite industrieventyr.

Continuing north, the landscape looks very much the same, but the fjord changes. It becomes unpredictable and complex, warning you that going by sea will become increasingly difficult. And if you choose to go westward, you'll meet the hills as soon as you cross the bridge of Skarnsund.

Highway 755 winds its way along the rocks till it reaches Mosvik, then continues to Leksvik, once a farming community and now a modern industrial center.

Skei

Skarnsundbrua

Die Landschaft bleibt im Grossen und Ganzen die gleiche wenn wir weiter nach Norden fahren, aber der Fjord ändert seinen Charakter. Er wird knorrig und unberechenbar. Und für Reisende, die wünschen, nach Westen zu fahren, wird die Landschaft kupiert sofort man die Brücke über Skarnsundet passiert.

Die Reichsstrasse 755 windet sich an den Bergzungen entlang bis zum kleinen Ort Mosvik, bevor sie über den Berg klettert und Leksvik erreicht, eine Landwirtschaftsgemeinde, die im Laufe eines Menschenalters zum kleinen Industriewunder geworden ist.

Vers le Nord, le paysage ne change pas de caractère contrairement au fjord, qui devient plus sinueux, plus imprévisible, en nous disant que bientôt termine la voie navigable.

Vers l'Ouest, on rencontre un paysage plus accidenté après avoir traversé le pont de Skarsund.

La route 755 serpente au milieu des rochers jusqu'à Mosvik avant de passer par la montagne vers Leksvik - village agricole qui, pendant une génération, est devenu très industrialisé.

Leksvik

Verran

🇳🇴 Langt inne i Trondheimsfjorden finner vi det gamle gruvesamfunnet Malm, kommunesenteret i Verran. Nå er larmen fra gruvene stilnet, og småindustrien har tatt over. Litt lenger ut i fjorden ligger Follafoss, hvor vasskraftutbygginga først på 1900-tallet satte fart på industrialiseringa av Nord-Trøndelag.

✳ Almost at the end of the fjord of Trondheim, lies Malm, the administrative center of Verran and formerly a mining community. Today the mines are closed, and small enterprises have filled the economic gap. A little further out is Follafoss, where hydroelectric power was developed in the early 1900s thus speeding up the industrialization of the region.

🇩🇪 Weit in dem Trondheimsfjord hinein finden wir den alten Grubenort Malm, das Zentrum der Gemeinde Verran.Der Lärm der Gruben hat sich längst gelegt, und die Kleinbetriebe haben übernommen. Einige Kilometer weiter nach Süden liegt Follafoss, wo die Ausnutzung von der Wasserkraft Anfang des 20sten Jahrhunderts die Industrialisierung von Nord-Trøndelag beschleunigte.

🇫🇷 Presque au fond du fjord se trouve l'ancien village minier de Malm, centre administratif de la commune de Verran. Aujourd'hui les mines sont fermées et la petite industrie s'y est établie. Plus loin dans le fjord, Follafjord est l'endroit où le développement de l'énergie hydraulique a accéléré l'industrialisation de la région au début du siècle dernier.

Fra Bartnes mot Malm

Steinkjer

⊕ *Åpen, lys og glad ligger Steinkjer,*
administrasjonssenteret i Nord-Trøndelag, og speiler seg i fjorden.
Byen har i dag ca 11 000 innbyggere. Blant de mest besøkte
severdighetene er Steinkjer kirke med sine vakre glassmalerier av
Jacob Weideman og Egge museum.

✤ *The town of Steinkjer, bright and friendly*
is reflected in the fjord. 11 000 inhabitants are proud of the Egge
museum as well as their church, where the artist and town native
Jacob Weideman has made the beautiful stain-glass paintings.

Steinkjer kirke

⬤ *Offen, hell und fröhlich liegt Steinkjer da,*
das Verwaltungszentrum von Nord-Trøndelag, und spiegelt sich
in dem Fjord. Die Stadt hat heute etwa 11 000 Einwohner. Unter
den am meisten besuchten Sehenswürdigkeiten sind die Kirche
mit ihren schönen Glasmalereien von Jacob Weideman, und
Egge Museum.

◖ *Ville ouverte, claire, heureuse: Steinkjer,*
11 000 habitants, centre administratif de la région, se reflète
dans le fjord. Le musée et l'église aux vitraux réalisés par Jacob
Weidemann, célébrité national, né à Steinkjer, attirent beaucoup
de touristes.

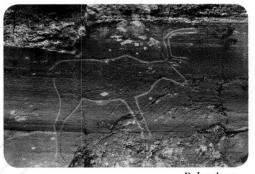

Bølareinen

Beistad

Like nord for Steinkjer kommer du til et veidele. Mens E6 fortsetter gjennom innlandet mot Nord-Norge, setter rv.17 kursen nord-vestover mot Namsos og Ytre Namdal. Ved Beitstad forlater den reisende Trondheimsfjorden for godt, og så vel landskapet som folket endrer gradvis karakter.

Just north of Steinkjer the highway splits. The main highway passes by the inland towards the north of Norway, while highway 17 heads west towards Namsos and coastal Namdalen. Leaving Beitstad, you bid the fjord of Trondheim a last farewell, and the landscape as well as the people gradually change.

Gleich nördlich von Steinkjer kommen Sie zu einer Wegscheide.Während die E6 hier weiter in Richtung Nord-Norwegen durch das Inland läuft , setzt die Reichsstrasse 17 ihren Kurs nach Nordwesten , in Richtung Namsos und Ytre Namdal. In Beitstad verlässt der Reisende den Trondheimsfjord entgüldig, und sowohl die Landschaft als auch das Volk ändern ihren Charakter so allmählich.

Au Nord de Steinkjer, la route bifurque: La principale continue par l'interieur du pays vers la Norvège du Nord, tandis que route 17 va vers Namsos et le Namdalen extérieur. Près de Beitstad, on quitte le fjord de Trondheim pour toujours et le paysage ainsi que sa population changent.

Namdalseid

■ Für diejenigen, die die rv. 17 gewählt haben, geht die Fahrt weiter durch die waldreiche Kulturlandschaft von Namdalseid zu den inneren Zweigen vom Namsenfjord. Die z .T. kupierte Landschaft mit Bergen an den beiden Seiten erbietet einen klaren Kontrast zum Flachland im Süden.

◗ La route 17 passe par Namdalseid avec ses grands forêts avant d'arriver aux petits fjords du Namsen. Avec ses collines et ses rochers, le paysage ne ressemble plus beaucoup aux plaines du Sud

● For dem som har valgt rv.17, går ferden videre gjennom Namdalseids skogrike kulturlandskap mot Namsenfjordens indre fjordarmer. Det småkuperte landskapet med fjell på begge sider, står i klar kontrast til flatlandet lenger sør.

✺ If you go farther west, you will pass through a formerly cultivated landscape now in reforestation before finally reaching the Namsenfjord. The hilly and rocky scenery is in stark contrast to the plains further south.

Snåsa

🔴 Like nord for Steinkjer møter E6 Snåsavatnet, Norges 6. største innsjø. Østenfor sjøen strekker store skoger seg innover mot grensefjellene. Hele 64% av kommunen Snåsa ligger over tregrensa, og mesteparten av dette arealet er en del av Blåfjell-Skjækra Nasjonalpark.

✳️ North of Steinkjer the highway passes by Lake Snåsa, sixth largest in Norway. To the east of the lake there are vast forests, streching all the way to the Swedish border. Sixty-four percent of the area is above the treeline with the main part in the National Park of Blåfjell-Skjækra.

⚫ Nicht weit von Steinkjer in nördlicher Richtung erreicht die E6 Snåsavatnet, den sechstgrössten Binnensee Norwegens. Östlich vom See breiten sich große Wälder in Richtung der Grenzgebirge. So viel wie 64 % von der Gemeinde Snåsa liegt über der Waldgrenze, und das Meiste von diesem Areal ist ein Teil vom Nationalpark Blåfjell-Skjækra.

◀️ Au Nord de Steinkjer la route passe par les bords du lac Snåsa, le sixième en Norvège par ses dimensions. Vers l'Est, de grandes forêts s'étendent jusqu'à la frontière suédoise. 64% de la commune est située au-dessus de la limite de la région forestière, dont la plus grande partie se trouve dans le parc national Blåfjell-Skjækra

Namsos

● *Namsos er hovedstaden i Namdalen.*
Som en av Midt-Norges livligste handelsbyer, og med ca.
8000 innbyggere, ligger den ved utløpet av Namsen; med
ryggen mot byfjellet og ansiktet vendt mot fjorden.

✳ *Namsos is the capital of Namdalen*
and one of the liveliest commercial cities of the region.
Situated by the mouth of the river Namsen, the town
of 8000 inhabitants faces the Namsenfjord with a small
mountain rising just behind the town centre.

● *Namsos ist die Hauptstadt
von Namdalen*
und eine der wichtigsten Handelsstädte Mittelnorwegens.
Mit etwa 8000 Einwohnern, liegt sie an der Mündung vom
Namsen, mit dem Rücken gegen den Stadtberg und das
Gesicht gegen den Fjord gewandt.

◑ *Namsos, 8000 habitants,
capitale du Namdalen,*
parmi les plus actifs centres commerciaux de la Norvège
centrale, est située à l'embouchure de la rivière Namsen;
une petite montagne en arrière-plan et le fjord en face.

Namsen

🔴 Namsen,
"Queen of rivers"

Bare navnet får hjertet til å banke
fortere hos laksefiskere.
Etter en vilter start i Børgefjell,
roer dronningen seg snart og blir
til en flod på sin ferd gjennom
Namdalen.
Og det er her, på strekningene
gjennom Grong og Overhalla, at
lakseeventyret finner sted.
Namsen er kjent for stor fisk.
Engelske adelsmenn introduserte
sportsfisket på 1800-tallet. Nå
viskes det på mange språk når
storlaksen vaker.

✳ Namsen,
"Queen of Rivers".

The mere mention of the name
Namsen makes the heart of
passionate salmon anglers pound.
The river starts out roughly in
Børgefjell as a stream, but the
Queen calms down and becomes
a river while floating through the
valley of Namdalen.
And that's where the salmon
adventure takes place – in Grong
and in Overhalla. Namsen enjoys a
reputation for big salmon. English
noblemen introduced angling in
the 19th century, but now angling
is done in almost every language
when the salmon are leaping.

🔵 "Die Königin
der Flüsse"

Der Name macht das Herz des
Lachsfischers schneller klopfen.
Nach einer ganz dramatischen
Geburt in Børgefjell, wird die
Königin während ihrer Fahrt durch
Namdalen allmählich zum
ruhigen Fluss. Und es ist hier an
den Strecken in Grong und
Overhalla, dass das
Lachsabenteuer stattfindet. Die
großen Lachse haben den Namsen
berühmt gemacht. Englische Lords
haben im neunzehnten
Jahrhundert das Sportfischen
eingeführt. Jetzt wird es in vielen
Sprachen geflüstert, wenn der
Lachs springt.

Le Namsen est "la Reine des Rivières",

nom qui fait battre le coeur des pêcheurs au saumon.
Petit ruisseau dans le Børgefjell, elle se calme et devient une rivière le long du Namdalen. Et c'est à Grong et à Overhalla qu'on attrape les grands saumons à la canne. Les Anglais ont introduit la pêche sportive au 19ème siècle. Aujourd'hui des pêcheurs y viennent de tous les pays du monde.

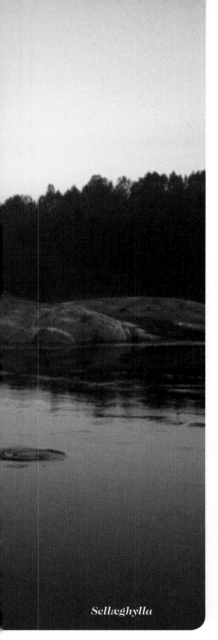

Sellæghylla

Ved Grong møtes Sandøla og Namsen

Havlandet

Lave øyer, holmer og skjær ligger strødd utover mot synsranden her hvor land møter hav.
Dette er kystbondens, fiskerens og skarvens rike.
Sommerblikk og vinterkav. Et land med mange ansikter!

Small islands, islets and reefs are scattered towards the horizon where land and ocean meet. This is the kingdom of the fisherman, the coastal farmer and the cormorant, where you can experience the calm of summer as well as winterstorms. A multifarious land- and seascape.

Niedrige Inseln, Holme und Schären liegen gegen den Horizont hinaus verstreut, dort, wo Land und Meer sich treffen.
Dies ist das Reich des Küstenbauers, des Fischers und des Kormorans.
Sommerstille und Wintersturm. Ein Land mit vielen Gesichtern!

Des petites îles, des îlot et des récifs parsèment l'horizon. C'st le royaume du fermier côtier, du pêcheur et du cormoran.
Ici on vit le calme de l'été ainsi que les tempêtes d'hiver: Paysage au visages divers.

Mausund

Frøya og Hitra

Lengst i sørvest, der Titran på Frøya markerer slutten, eller begynnelsen – alt ettersom – på Trøndelagskysten, ligger staselige Slettringen fyr som en vokter mot storhavet. De store øyene har i dag fastlandsforbindelse gjennom undersjøiske tuneller.

To the southwest, where Titran on the island of Frøya marks the end (or the beginning) of coastal Trøndelag, the Slettringen lighthouse stands tall, guarding the seas. Today a tunnel under the water connects the island to the mainland.

Titran

⬤ Weit nach Südwesten, wo Titran auf der Insel Frøya das Ende oder der Anfang der Trøndelagsküste markiert, steht der stattliche Leuchtturm Slettringen als ein Wächter gegen das Meer. Die großen Inseln sind heute durch unterseeische Tunnels mit dem Festland verbunden.

◖ Dans le Sud-Ouest, là ou Titran (sur l'île de Frøya) marque la fin – ou le début – de la côte régionale, le phare de Slettringen veille sur les mers. On peut arriver aux grandes îles par des tunnels sous-marins.

Mausund

Mausund

🔴 Mausundvær er sansynligvis det største og mest livskraftige fiskeværet på Trøndelagskysten i dag. Ca. 200 mennesker bor det her ute i havgapet.

✳️ Mausundvær is probably the largest and busiest fishing village on the coast yet no more than 200 people live here.

⬛ Mausundvær ist heute wahrscheinlich die größte und lebenskräftigste Fischereisiedlung der Trøndelagsküste. Etwa 200 Menschen haben hier am Meeresrand ihre Heimat.

🔵 Le plus grand et le plus vigoreux port de pêche sur la côte s'appelle Mausundvær. Néanmoins, pas plus de 200 personnes y habitent.

Halten

En gang i tiden da kort avstand til fisken var viktigere enn avstanden til andre mennesker, slo folk seg ned på Halten – noen små øyer og skjær langt ute i Frohavet. Nå er det bare liv i været om sommeren, og hurtigbåten bringer besøkende til og fra.

Once upon a time, when it was more important to be where you could catch the fish, rather than where there were towns, people settled on Halten – a fistful of islands and rocks far out in the sea. Now it is deserted, except during summertime, when speedboats bring summer residents to and fro.

Früher , als die Nähe zum Fisch mehr bedeutete als der Abstand zu anderen Menschen , machten Leute ihre Heimat auf Halten , die kleinen Inseln und Schären weit draußen in Frohavet. Jetzt lebt diese Fischerei-siedlung nur im Sommer, und das Schnellboot bringt die Besucher hin und her.

À Halten – poignée d'îles dans la mer de Frohavet – il y avait autrefois plus de poissons que d'habitants. Ces îles sont aujourd'hui désertées, sauf quand les visiteurs arrivent, par bateau, en été.

Bjugn og Ørlandet

Bjugn kirke

Lengre inne på kysten dannet den fruktbare strandsonen grobunn for middelaldersk makt og velstand. I dag går det allikevel roligere for seg enn da fru Inger fra Austrått spilte førstefiolin i Norges skjebnetimer på 1500-tallet.

The fertile land along the shorelines secured wealth and power in medieval times. If these stones could speak, they would tell about Inger, the Mistress of Austråt, who played a prominent role in fateful hours during the 16th century.

An der Küste entlang bildete die fruchtbare Strandzone den Nährboden für mittelalterliche Macht und Wohlstand. Heute geht alles aber viel ruhiger vor, als damals, als Frau Inger zu Austråt die erste Geige spielte, in den verhängnisvollen Zeiten Norwegens im 16. Jahrhundert.

La terre fertile, près du rivage, a établi les bases du pouvoir et de la prospérité au Moyen-Âge, époque turbulente où le propriétaire d'Åustråt, Mme Inger, jouait un grand rôle.

Uthaug

Austråt

Osen og Roan

Buholmråsa

Sætervika

Glattskurt av århundrers vestavind og pisket av sjørokk, stiger landet fram. Karrig, men vakkert. Der det er havn, bor det folk. Den gangen leia var hovedveien, lå disse stedene midt i hovedgata. Nå er det andre kvaliteter som gjør at vi lengter hit ut.

Washed by westerly winds for centuries, and whipped by the sea, the land emerges weatherbeaten, but beautiful. Where there's a haven, people settle and live. In times when the sea was the highway, these now remote places were right in the main street. Now we come for the beauty of the place.

Vom Westwind der Jahrhunderte glattgescheuert, und vom Gischt gepeitscht steigt das Land hervor. Karg, aber doch schön. Dort, wo es einen Hafen gibt, wohnen Menschen. Damals, als die Fahrrinne die wichtigste Verkehrsader war, befanden sich diese Siedlungen direkt an der Hauptstrasse. Jetzt aber, sehnen wir uns nach diesen Stellen wegen anderer Qualitäten.

Polie par le vent d'Ouest, fouettée par la mer à travers les siècles, la terre surgit, belle, mais maigre. Là où il y a un port, il y a des gens. À l'époque, quand la voie navigable était la grande route, ces ports se trouvaient dans la rue principale. Aujourd'hui on y vient pour d'autres raisons.

Namdalskysten

Sør-Gjæslingan

Norveg

Nordøyan

Travel skipstrafikk preger Nærøysundet. På vestsiden ligger Rørvik med det nasjonale senteret for kystkultur og kystnæring i front, og Viknas mylder av øyer i ryggen mot vest.

Ships are constantly coming and going through the strait of Nærøy. On one side lies Rørvik, hosting the national centre for coastal culture and industry. Farther to the west you will find the thousand islands of Vikna.

Ein hektischer Schiffsverkehr kennzeichnet Nærøysundet. An der einen Seite liegt Rørvik mit dem nationalen Zentrum für Küstenkultur an der Seefront, und Viknas Gewimmel von Inseln im Rücken gegen Westen.

Les allées et venues de bateaux par la passage de Nærøy n'en finissent pas. Côté Ouest: Rørvik, abrite le centre national de la culture côtière, et encore plus loin vers l'Ouest, on trouve une multitude d'îles en Vikna.

Fra Hundhammerfjellet

På østsiden av sundet ligger Nærøy. Her skjærer Foldafjorden seg innover i en natur som mer enn antyder at nå nærmer vi oss en annen landsdel.

To the east of the strait lies Nærøy nestled on the fjord of Folda. The fjord cuts its way into a scenery that boldly declares that you soon will be in another part of the country.

An der Ostseite des Sundes liegt Nærøy, mit dem Follafjord, der sich in eine Landschaft hineindringt, die mehr als andeutet, dass wir uns jetzt einem anderen Teil des Landes nähern.

Côté Est: Nærøy, où le fjord de Folda s'enfonce dans le relief qui délimite une autre province

Gruøya

Mot Heilhornene

Storengan

Jøa

● Dette er Olav Duuns rike:
"Landet i Eventyret". Et møte
mellom havet og landet innenfor.

● This is the homeland of
the poet Olav Duun, a land of
adventure, where sea and inland
is joined.

● Dies ist das Reich von Olav
Duun: „ Das Land im Märchen „.
Eine Begegnung zwischen dem
Meer und dem Land dahinten .

● Pays de contes, décrit par
l'écrivain Olav Duun. Lieu de
rencontre entre mer et terre

Salen

Leka

Lengst nord varsler Lekas rødgule serpentinfjell at her slutter Midt-Norge. Her takker trønderen for seg, og nye dialekter svirrer gjennom luften.

Further to the north the red-yellowish serpentine minerals of Leka tell us that right here our region ends.

Weit nach Norden kündigen die gelbroten Serpentinberge von Leka an, dass Mittelnorwegen hier endet. Hier sagt der Trønder auf Wiedersehen, und ganz andere Dialekte schwirren durch die Luft.

Pierres rouges et jaunes de serpentine à l'île de Leka: Ici se termine la Norvège centrale ainsi que le dialecte de ses habitants.

Sklinna

Hortavær

"Den blå åkeren"

Vansøy

Havet er, og har alltid vært, grunnlaget for velstanden på kysten. I århundrer har vi høstet av rikdommene, og kystkulturen slik du møter den i dag, er resultatet av dette samspillet mellom menneskene og naturen gjennom hundrevis av år.

The sea is, and has always been, what has made coastal living prosper. For centuries we've harvested this wealth, and the way of living here is the result of a co-existence between man and nature for hundreds of years.

Das Meer bildet, wie immer, die Grundlage für den Wohlstand an der Küste. Schon von alters her haben wir den Überfluss des Meeres geerntet, und die Küstenkultur, so wie wir sie heute erleben, ist das Resultat dieses Zusammenwirkens durch Hunderte von Jahren.

La mer reste, comme elle l'était jadis, la base de la prospérité côtière. Pendant des siècles nous en avons récolté les bienfaits, très importants pour le developpement de la culture côtière et toujours d'actualité.

Innlandet

Øst i Trøndelag ligger grensefjellene med sine store sjøer, og skoger så langt øyet rekker. Dette er forholdsvis tynt befolkede områder, der små, men livskraftige lokalsamfunn ligger som øyer i en storslagen natur.

In the eastern part of the region the border mountains are covered with forest as far as the eye can see, and there are great lakes. Few people live here, but the small communities are like vibrant islands, nestled in a magnificent countryside.

Im Osten von Trøndelag liegen die Grenzgebirge mit ihren großen Seen und Wäldern so weit das Auge reicht. Diese Gebiete sind ganz dünn besiedelt, aber mit kleinen, vitalen Ortschaften, als Inseln in einer prachtvollen Natur.

Vers l'Est se dressent les montagnes frontières, avec leurs grands lacs et leurs forêts à perte de vue: Région peu peuplée, mais aux petits villages vivants: Îlots dans une nature magnifique.

Lierne

Røros

Der hvor Østerdalen til slutt må gi
tapt mot den trønderske fjellheimen,
ligger det en underlig liten by. Du finner
ikke maken uansett hvor du reiser.
Røros: Grunnlagt rundt kopperverket i
1644, med slagghauger og fredet
trehusbebyggelse fra verkets glanstid
på 1600- og 1700-tallet, oppført på
UNESCO's World Heritage List. Her
finnes det bare én bygning av stein; den
praktfulle kirka fra 1784. Men så ruver
den da også til gjengjeld desto mer over
den lave trehusbebyggelsen.

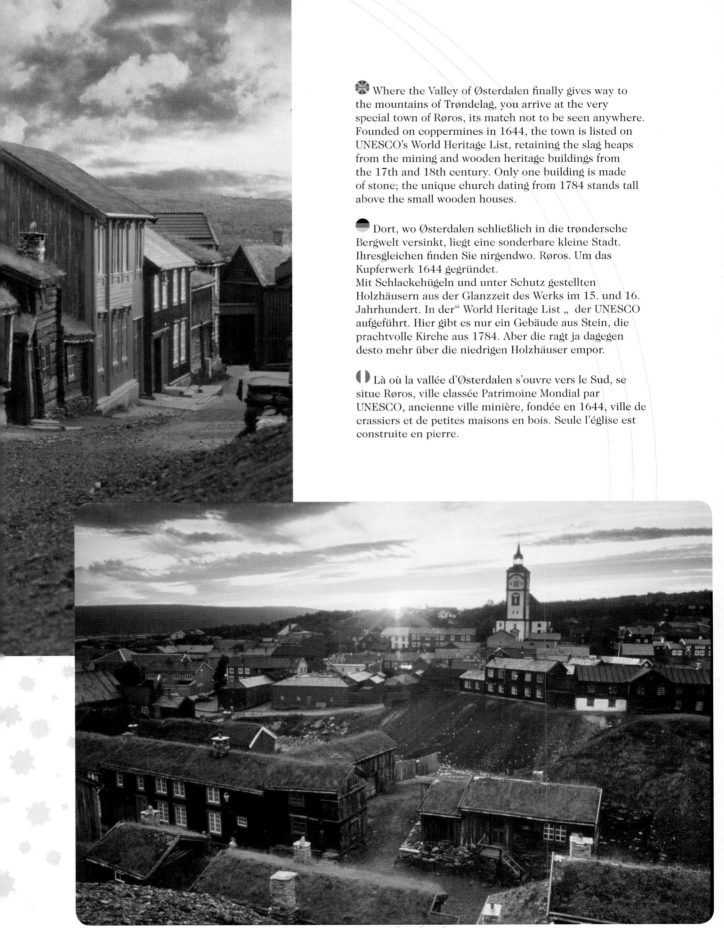

⚙ Where the Valley of Østerdalen finally gives way to the mountains of Trøndelag, you arrive at the very special town of Røros, its match not to be seen anywhere. Founded on coppermines in 1644, the town is listed on UNESCO's World Heritage List, retaining the slag heaps from the mining and wooden heritage buildings from the 17th and 18th century. Only one building is made of stone; the unique church dating from 1784 stands tall above the small wooden houses.

● Dort, wo Østerdalen schließlich in die trøndersche Bergwelt versinkt, liegt eine sonderbare kleine Stadt. Ihresgleichen finden Sie nirgendwo. Røros. Um das Kupferwerk 1644 gegründet.
Mit Schlackehügeln und unter Schutz gestellten Holzhäusern aus der Glanzzeit des Werks im 15. und 16. Jahrhundert. In der" World Heritage List „ der UNESCO aufgeführt. Hier gibt es nur ein Gebäude aus Stein, die prachtvolle Kirche aus 1784. Aber die ragt ja dagegen desto mehr über die niedrigen Holzhäuser empor.

◐ Là où la vallée d'Østerdalen s'ouvre vers le Sud, se situe Røros, ville classée Patrimoine Mondial par UNESCO, ancienne ville minière, fondée en 1644, ville de crassiers et de petites maisons en bois. Seule l'église est construite en pierre.

Røros

Tydal og Selbu

Tydal

Tydal er mest kjent for sin storslåtte natur, og Armfeldts katastrofale retrett med svenskehæren i 1719.
Fem mil lenger vest ligger Selbu, bygda som er verdenskjent for et strikkemønster.
I dag kjører stadig flere gjennom dalføret som et alternativ til E6.

Tydal is best known for its magnificent natural beauty and as the locale of the fatal retreat in 1719 by a Swedish army.
Fifty km to the west is Selbu, known all over the world for a knitting design. The road through the village is considered a fine alternative to the highway.

Tydal ist für seine schöne Natur bekannt, und auch für den katastrophalen Rückzug von General Armfeldt mit dem schwedischen Heer im Jahre 1719. Fünfzig Kilometer weiter nach Westen liegt Selbu, die Gemeinde, die für ihr lokales Strickmuster weltbekannt ist.
Heute fahren immer mehr Reisende durch dieses Tal, als eine Alternative zur E6.

Tydal – nature magnifique, mais aussi théâtre de la retraite désastreuse de l'armée suédoise en 1719.
50 km plus à l'Ouest: Selbu, village mondialement connu pour ses motifs de tricotage, aujourd'hui beaucoup visité par ceux qui veulent éviter la circulation de la route européenne.

Selbu

Meråker

Gilså

⊕ Meråker er industribygda med århundrelange gruvetradisjoner.
I disse dager stenges smelteverket. Dermed skrives et nytt kapittel i minneboka, og sindige Måråkbygg ser fram mot aktiviteter basert på skog, reiseliv, gjenvinning og el-produksjon.

✺ Meråker is another industrial community with mining traditions throughout the centuries.
As the smelting plant is now closed, a new chapter has to be written where forestry, industry, tourism, recycling and hydroelectric power will fill the pages.

◑ Meråker ist eine Industrieortschaft mit jahrhundertlangen Grubentraditionen.
In diesen Tagen wird das Schmelzwerk stillgelegt. Jetzt fangen die besonnenen Einwohner von Meråker eine neue Epoche an, und setzen auf Aktivitäten, die auf Wald, Tourismus, Recycling und Wasserkraftproduktion basieren.

◐ Meråker, village industriel et minier depuis des siècles. Aujourd'hui la fonderie est fermée; alors il faut se reconvertir dans des activités basées sur l'exploitation de la forêt, le tourisme, le recyclage et la production hydro-électrique.

Mot Frannfjellet

Stordalen

Nasjonalparkene

Lierne Nasjonalpark

🔴 Norske nasjonalparker ligger i fjellområdene, og få regioner har fredet større arealer enn Trøndelag: Dovrefjell og Femundsmarka i sør, Blåfjell-Skjækra og Lierne i øst, og Børgefjell i nord.

✳ National parks are found in the mountains, and there are quite a few of them: Dovrefjell, Femundsmarka, Blåfjell-Skjækra, Lierne and Børgefjell.

⚫ Norwegische Naturschutzparks liegen in den Berggebieten, und wenige Regionen haben größere Flächen unter Schutz gestellt, als Trøndelag: Dovrefjell und Femundsmarka im Süden, Blåfjell-Skjækra und Lierne im Osten, und Børgefjell im Norden.

🔵 Les parcs nationaux norvégiens se trouvent en général dans le pays montagneux, et la plupart dans le Trøndelag: Le montagne de Dovre et le champ de Femunden dans le Sud, Blåfjell-Skjækra et Lierne dans l'Est, Børgefjell dans le Nord.

Blåfjell - Skjækra Nasjonalpark

Indre Namdal

Indre Namdal er de store skogenes, sjøenes og fjellenes rike.
Klimaet kan være tøft med lange kalde vintre: Mens bøndene rundt Trondheimsfjorden sår i april, feirer folk her inne Bærflekkdagene i juni.
Men naturelskere vet at her finner de hvite vidder langt utover våren, somre med blinkende fjellvann og fantastisk fiske. For ikke å nevne høstjakta.

The inner Namdalen is the kingdom of the great forests, lakes and mountains.
The long winters can be freezing cold. While farmers near the fjord of Trondheim are sowing in April, the people here will be celebrating the retreat of the snow in June.
Those who love outdoor life will find the still snow-covered open country in spring and, in the summer, the quiet lakes where the fish are abundant, and hunting is good.

Hier, in den inneren Teilen von Namdalen, liegt das Reich der großen Wälder, Seen und Berge
Das Klima hier kann sehr barsch sein, mit langen, kalten Wintern: Während die Bauern am Trondheimsfjord im April säen, feiern die Leute hier die ersten schneelosen Flecken im Juni. Naturfreunde aber, wissen, dass sie gerade hier schneeweiße Landschaften bis spät im Frühling und glitzernde, fischreiche Seen im Sommer finden, und dann die Jagd im Herbst, natürlich.

L'intérieur du Namdalen est le pays des grands lacs, des vastes forêts et des montagnes.
Il fait froid, et les hivers sont longs: Quand les fermiers autour du fjord de Trondheim sèment en avril, les montagnards fêtent en juin les premiers fontes sans neige.
Cependant, ceux qui aiment la nature savent qu'on peut faire du ski jusqu'à la fin du printemps, qu'en été les lacs sont pleins de truites, et que la chasse est bonne.

Børgefjell

Lierne

Kveli

Sørsamene

Det finnes klare bevis på at samekulturen fantes i trøndelagsfylkene på 1500-tallet, men sannsynligvis var sørsamene her lenge før. Saemien Sijte, sørsamisk museum og kultursenter, ligger på Snåsa, og er et godt utgangspunkt for informasjon.

Findings have proven that the Sami people have been here since 1500, or maybe long before that. Saemien Sitje, a Sami museum and cultural center in Snåsa, will provide information of Sami history and Sami way of life.

Es gibt klare Beweise dafür, dass es in der Region von Trøndelag im 14.Jahrhundert eine samische Kultur gab, aber wahrscheinlich waren die Samen hier viel früher.
Saemien Sijte, südsamisches Museum und Kulturzenter, liegt in Snåsa, und ist ein guter Ausgangspunkt für weitere Informationen.

Grâce à des fouilles, on a pu constater que les Lapons vivaient ici au 16ème siècle. Ils y étaient déjà probablement auparavant. Saemien Sitje, musée et centre culturel pour les Lapons de Sud, est situé à Snåsa, et vaut bien une visite.

Fjelleventyret

🔴 Tiden står aldri stille, men inne i fjellheimen går den i alle fall ikke så fort. Her må selv stressede storbymennesker innse at det er naturens puls som gjelder, og at mennesket blir ganske lite i den store sammenhengen.

⚫ Time never stops, but it seems to slow down in the great outdoors. Here we can experience the rhythm and heartbeat of Mother Nature.

⚫ Die Zeit steht nie still, aber in der Bergwelt vergeht sie doch nicht so schnell. Hier müssen selbst gestresste Großstadtleute sich damit abfinden, dass der Pulsschlag der Natur hier alles bestimmt, und dass der Mensch im großen Zusammenhang ganz klein wird.

◖◗ Le temps passe, mais moins vite dans la région montagneuse. L'habitant d'une grande ville peut y prendre le pouls de la nature et il est facile de comprendre que l'homme n'est pas toujours le maître.

Børgefjell

⊕ Den trønderske fjellheimen er et eldorado for jegere. Eksempelvis felles det hvert år ca. 150 000 ryper i regionen, og mellom 7000 og 8000 elg.

✸ The mountains of Trøndelag are the hunter's paradise. More than 150 000 grouse and nearly 8000 elk are brought down every year.

⬓ Die trøndersche Bergwelt ist ein Eldorado für den Jäger. Beispielsweise werden jährlich etwa 150 000 Schneehühner und 7000 bis 8000 Elche in dieser Region erlegt.

❶ La région est le paradis du chasseur. Plus de 150 000 perdrix de neige et env. 8 000 élans sont abattus tous les ans.